Anne Sandberg Anderson.